ROC ESCRIBE

Para Johanna, siempre optimista y comprensiva,
que sabe disfrutar de una buena historia

Título original: ROCKET WRITES A TORY
Copyright © Tad Hills, 2015
Esta traducción ha sido publicada con el acuerdo de Random House Children's Books, un sello de Random House, Inc, Nueva York.
© de la traducción castellana:
© EDITORIAL JUVENTUD, S. A., 2013
Provença, 101 - 08029 Barcelona
info@editorialjuventud.es
www.editorialjuventud.es

Traducción de Anna Gasol
Primera edición, 2013
Segunda edición, 2015
ISBN 978-84-261-4001-2

DL B 14.557-2013
Núm. de edición de E. J.: 13.184
Printed in Spain
GRINVER, S.A. Avda Generalitat, 39 - Sant Joan Despí (Barcelona)

UNA HISTORIA

Tad Hills

Merry christmas,
Have fun
reading about Roc.
♥ John & Debbi

Editorial **EJ** Juventud

BARCELONA

Roc amaba los libros. Le gustaba leer solo
o sentarse junto a su maestro, el pequeño canario,
mientras le leía en voz alta. Roc incluso amaba
el olor de los libros. Al abrir un libro nuevo,
sentía el aroma de un lugar en el que todavía
no había estado, como si se tratara de un amigo
desconocido.

El pequeño canario pensaba lo mismo.

–¡Los libros me inspiran! Me entran ganas de cantar.

A Roc también le gustaban las palabras. Después del desayuno, su maestro solía decir:

–Roc, ¿por qué no usas tu hocico para husmear alguna palabra nueva?

Eso era lo que hacía, y encontraba algunas tan bonitas como *flor*,

e *insecto*,

y *pluma*,

y *nido*.

–Busco palabras –anunciaba
Roc a quien quisiera escucharle.

Roc siempre llevaba sus palabras a la clase y las escribía.

El pequeño canario le ayudaba a deletrear las más difíciles y después las colgaban en el árbol de las palabras.

A veces, el pájaro añadía sus propias palabras a la colección del árbol.

—Esta es corta, pero te prometo que será útil —decía.

–¡Magnífico! –cantó el pequeño canario al ver el árbol lleno–.
¿Qué vamos a hacer con estas palabras tan bonitas?
Roc pensó en ello toda la tarde. Entonces tuvo una idea.

Aquel día, Roc salió de la escuela meneando la cola.
—¡Escribiré una historia! —exclamó ante Nita y Bob.

—Será una aventura sobre el ancho mundo
—explicó a una mariposa.

—Usaré muchas palabras
—contó al Ladrador.

–¡Hola! –saludó al pasar junto
al árbol donde había encontrado
la palabra nido–. ¡Voy a escribir
una historia!

Al día siguiente, Roc regresó
a la escuela. Tenía que empezar. Observó
la página en blanco y la página en blanco le observó
a él. No se le ocurría ninguna historia.

A la hora del desayuno Roc se rindió.
–No sé qué escribir –le dijo a su maestro.

–No te preocupes –replicó el pequeño canario–.
Una de las cosas más difíciles de escribir es dar con
una buena historia. Pero también es lo más divertido.
Puede que te guste escribir sobre algo que has visto.

–¿Un insecto? –preguntó Roc.

–¡Sí! –cantó su maestro–. Las historias necesitan
buenos personajes. ¿Qué te parece si es algo que te ha
ocurrido? ¿O bien algo que te guste mucho?

–¿Mi palo preferido? –sugirió Roc.

–¡Claro! –exclamó el pájaro–. ¡También puedes escribir sobre algo que te inspire!

–¿*Que me inspire*? –preguntó Roc.

–Sí, algo que te entusiasme –cantó el pequeño canario.

Roc fue a dar un paseo en busca de inspiración. Pensó en los amigos que había conocido y en los lugares en los que había estado. Levantó el hocico y husmeó la suave brisa. Allí estaba… ¡la inspiración! Un delicioso aroma de agujas de abeto y de plumas.

Durante toda aquella mañana imaginó plumas y agujas de abeto. Agujas de abeto y plumas. Por la tarde, empezó a escribir.

Por la noche, Roc siguió
el delicioso aroma hasta
encontrar el árbol con el nido.

   –¡Hola de nuevo! –gritó
a las ramas–. ¿Hay alguien
en casa?

   Arriba se oyó un
cuchicheo, pero no obtuvo
respuesta.

   –Siento molestar, pero…
debo decirte que hueles bien.
Muy inspirador. ¿Puedo
preguntar quién eres?

   Silencio.

   –Tendré que volver a
una hora más oportuna
–dijo y se marchó.

Aquella noche, mientras contemplaba las estrellas,
Roc imaginó plumas y un nido en un abeto. Pensó
en su historia y en su colección de palabras.

Por la mañana, de camino hacia la escuela, Roc vio una cosa sorprendente

—¡Una palabra completamente nueva! —dijo—. Y ya está escrita. Pone… —intentó leerla.

—*Búho* —una voz suave hablaba desde las ramas—. Pone *búho*. Soy yo.

—Gracias, Búho —dijo Roc—. Siempre busco palabras ¡y esta es preciosa!

Roc corrió hasta llegar a la clase.

–*B-Ú-H-O*, *búho*. ¡Caramba!, no es una palabra corriente –cantó el pequeño canario–. Cuatro letras ¡y menuda palabra!

–Ha sido un regalo –explicó Roc, y añadió la nueva palabra a su historia.

–Escribo una historia que habla de ti –anunció Roc muy orgulloso al búho.

El búho asomó la cabeza fuera del nido y Roc vio por vez primera su amable rostro. Sus enormes ojos redondos parpadearon bajo un montón de plumas.

–¿Habla de mí? –preguntó con suavidad.

–¿Quieres bajar y oírla? –preguntó Roc.

–Gracias, pero prefiero escuchar desde el nido –respondió el búho.

Así pues, Roc se aclaró la garganta y empezó a leer:

–Una vez había un búho. Olía a plumas y agujas de abeto y vivía encima de un árbol.

–¿Sigue? –los ojos del búho se abrieron de par en par.

–Continuará –aclaró Roc.

Todos los días Roc
trabajaba en su historia.
Escribía unas palabras y
borraba otras. Si le salía bien,
meneaba la cola.

Si no sabía qué
escribir, gruñía.

A veces, hacía dibujos para su historia.

Otras, paseaba por el prado en busca de inspiración.

El pequeño canario le animaba.
–Recuerda que las historias necesitan tiempo –decía.

El era tímido y tanto un

Quería conocer más cosas acerca del búho,
y le preguntaba a Roc:
    —¿Por qué crees que no quería bajar?
¿De qué color es su pico? ¿Qué hace durante
el día?

Roc también quería saber más cosas sobre el búho. Le visitaba a menudo en su árbol y le leía su historia, que cambiaba día tras día. El búho se sentía fascinado.

Y cuando Roc dejaba
de leer siempre preguntaba:
–¿Qué pasa después?

Un buen día, Roc supo que la había terminado.

–¡Qué historia más bonita! –cantó el pequeño canario al terminarla.

Mi primera historia
Roc

Roc corrió al abeto del búho.

–¡La he terminado! –gritó–. ¡Ven!

El búho saltó de rama en rama hasta que estuvo junto a Roc. Entonces Roc empezó a leer. Leyó sobre un búho de ojos amables que tenía el pico del color del canario. Vivía en un nido en lo alto de un árbol en la linde de un prado, y olía a agujas de abeto y a plumas. Le gustaba hacer la siesta y escuchar historias.

–Saltando de rama en rama el búho bajaba del nido –leyó Roc–. Era tímido pero también era muy valiente.

De pronto, Roc se detuvo. Escribió algo en el papel y volvió a leer:

–Un día el búho bajó hasta el suelo y se convirtió en mi amigo.

El búho parpadeó.

–¿Puedes añadir otra frase? –preguntó–. Puedes escribir «Al búho le gustó mucho la historia»?

–¡Es un final perfecto! –dijo Roc.

¡Lo era!